Y0-BWW-827

KLICK

Erwin ist wahnsinnig stolz auf seine neue Taucheruhr ...

Uli Stein

SOLANGE ER NICHT IN MEINE GERANIEN TRITT...

Lappan

Uli Stein, 1946 in Hannover geboren, ist der
erfolgreichste und bekannteste deutsche Cartoonist.
Woche für Woche erscheinen seine Zeichnungen
in den größten Illustrierten und begeistern Millionen von Lesern.
Bevor er mit dem Zeichnen begann, stürzte er sich
nach einigen Semestern Pädagogik als Fotograf und Journalist
ins freischaffende Berufsleben.
Acht Jahre lang schrieb er Satire, Nonsens und
Schwarzen Humor für den Rundfunk.
Heute sind seine Markenzeichen unverwechselbar:
Figuren mit Knubbelnasen und Spiegeleieraugen,
verschmitzte Katzen, pfiffige Hunde und anderes Getier...
Auf Hunderten von Karten, Geschenkartikeln und Produkten,
vom „Stein'schen" Sparschwein bis zur Plüschmaus,
vom T-Shirt bis zur edlen Seidenkrawatte
sind sie inzwischen zu finden.
Seine bisher im Lappan Verlag erschienenen Bücher haben
eine Gesamtauflage von über vier Millionen Exemplaren
erreicht und zählen zu den erfolgreichsten
Cartoonbüchern überhaupt

© 1995 Lappan Verlag GmbH
Postfach 3407 · 26024 Oldenburg
Reproduktion: Litho Niemann + M. Steggemann GmbH · Oldenburg
Gesamtherstellung: Clerc S.A. · Saint-Amand/Montrond Cedex
Printed in France · ISBN 3-89082-502-8

Könnten Sie uns noch „Verstehen Sie Spaß?" einschalten, bevor Sie gehen?

Tut mir leid - Autos mit Schiebedach
sind zur Zeit alle ausgeliehen ...

IST ES NICHT HERRLICH WEISS?

IST ES NICHT DAS SUPERWEISSESTE HEMD, DAS DU JEMALS GEHABT HAST?

STRAHLEND WEISS?!? HAT IRGENDEIN KOLLEGE IM BÜRO EIN SO BLENDENDES WEISS?

ZEIG MIR IRGENDWO EIN WEISSERES WEISS...

ICH MOCHTE ES LIEBER, ALS ES NOCH HELLBLAU WAR...

Gibt es etwa schon wieder einen deiner blöden Cowboyfilme?

Wegen so eines kleinen Rechtschreibfehlers
bestellen Sie mich extra in die Schule?

Derjenige, der heimlich an Frau Müllers Computer rumprogrammiert hat, meldet sich in einer Stunde bei mir im Personalbüro!

Einmal volltanken, aber nicht wieder das teure Super ...

Wenn Sie sich mit einem Waschsalon selbständig machen wollen,

ist dies das ideale, preiswerte Einsteigermodell für den Anfang ...

Er hat den Schlüssel zu seinem Bankschließfach verbaselt,
aber er sagt, das macht nichts ...

Wenn Sie das ganze Stroh zu Gold versponnen haben, stehen Ihnen auch keine Subventionen für landwirtschaftliche Betriebe zu …

Das Fernsehbild wird von Mal zu Mal unschärfer. Schauen Sie doch mal,
ob Sie da nicht irgend etwas machen können, junge Frau!

Einen Fußschemel für mich oder das kleine Blaugepunktete für dich - so stand es auf unserer Anschaffungsliste - und du weißt, wofür wir uns entschieden haben …

Also gut, Sie kriegen die Stelle. Ihre Probezeit beträgt 4 Minuten ...

Was soll das heißen, ich hätte ihn provoziert?
Ich habe den Kerl noch nie gesehen ...

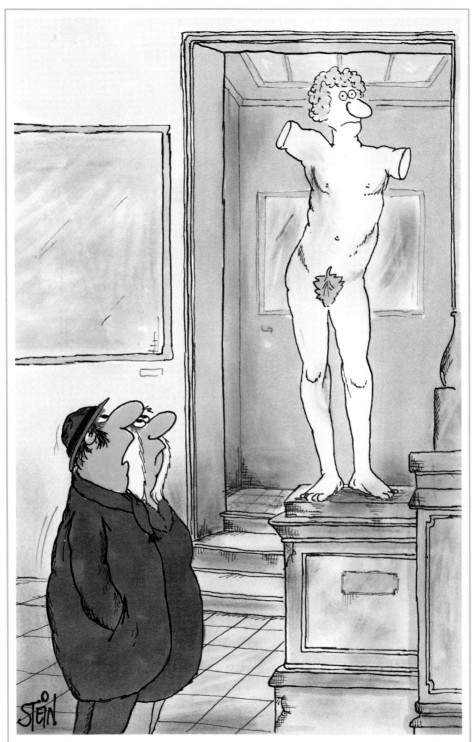

Vielleicht hätten wir unseren Gartenzwerg doch nicht gleich
wegschmeißen sollen, nur weil die Nase abgeplatzt war …

Da gibt es gar keine Diskussionen - wenn Ihre Brille zur Reparatur ist,
müssen Sie halt zu Fuß gehen oder die Straßenbahn nehmen ...

Unbequem? Es sind ganz normale Barhocker
wie in jeder anderen Kneipe auch …

Kann ich nicht mal in Ruhe meine Zeitung lesen,
ohne daß mir gleich jemand mein Honigbrötchen klaut?

A ... E ... C ...

PROBIER MAL — DAS IST
KIRSCHMARMELADE MIT
RUM — DIE HAT ERWIN
GEMACHT...

DEN GANZEN TAG DURFTE
KEINER IN DIE KÜCHE...

...DU WEISST JA WIE
MÄNNER SIND, WENN
SIE KOCHEN...

DIE SCHMECKT ABER GAR
NICHT NACH RUM ?!?

ERWIN!!!

Nur die Schellen polieren, bitte!

Es wird gleich regnen - ich hab' schon
den ersten Tropfen abgekriegt ...

Lappan · Das Cartoonprogramm

...weitere Bücher von Uli Stein

jeweils 64 farbige Seiten, fester Einband.

Viel-Spaß-Bücher

Aufmachen, Polizei!! ·
Viel Spaß im Urlaub ·
Viel Spaß beim Autofahren · Viel
Spaß im Garten · Viel Spaß mit Kin-
dern · Viel Spaß beim Kochen · Viel
Spaß beim Sport · Fröhliche Weih-
nachten! Jeweils 48 farbige Seiten,
fester Einband.

Geschenkbücher

Das hätt' nicht kommen dürfen! ·
Ach du dicker Hund · Leicht
behämmert · Vorsicht Steinschlag! ·
Schöne Bescherung!
Jeweils 64 Seiten, fester Einband.

Peter
Butschkow
*Peters
Höhepunkte!*
64 farbige
Seiten,
fester
Einband.

> ... Hervorgehoben sei an
> dieser Stelle übrigens das
> verlegerische Gespür des
> Lappan-Verlages, der
> wieder einmal gezeigt hat,
> warum er in Sachen
> Qualität die Nr. 1
> des deutschen Cartoon-
> Marktes ist.
>
> (Comic-Forum)

Erich
Rauschen-
bach
*Ich bin
schon
wieder
Erster!*
80 Seiten,
fester
Einband.

papan
*Was denkst
du, Schatz?*
64 z.T.
farbige
Seiten,
fester
Einband.

Lappans Cartoon-Geschenke

Cartoons für Ärzte
Cartoons zum Abnehmen
Cartoons für Beamte
Cartoons für's Büro
Cartoons für Computerfreaks
Cartoons für Eltern
Cartoons für Fußballfans
Cartoons für Häuslebauer
Cartoons zur Hochzeit
Cartoons für Lehrer
Cartoons für echte Männer
Cartoons für Motorradfans
Cartoons für Radfahrer
Cartoons für (Ex)Raucher
Cartoons zur Schwangerschaft
Cartoons für Singles
Cartoons für Sportler
Cartoons für Starverkäufer
Cartoons für Tennisfans
Cartoons für Zahnärzte
Das Cartoon-Gästebuch
Cartoon-Almanach
Jeweils 56 farbige Seiten,
fester Einband.

Für große und kleine Anlässe immer das passende Geschenk!

Wir informieren Sie gern laufend über unser Programm - Postkarte genügt: Lappan Verlag GmbH · Postfach 3407 · 26024 Oldenburg